D0276817
SINCE 1882
PRODUCT
clément faugier
PRIVAS FRANCE
OF FRANCE
SINCE 1882
SINCE 1882
CHESTNUT SPREAD
VANILLA
The "Crème de Marrons de l'Ardèche" is a recipe created by Clément Faugier in 1885 in Privas in France
NET WEIGHT : 8.75 oz / 250g
FABRICATION FRANCAISE
CRÈME DE MARRONS DE L'ARDÈCHE
CLÉMENT FAUGIER. PRIVAS

DEPUIS 1882
FABRICATION
FRANÇAISE
Clément Faugier
PRIVAS FRANCE
CRÈME
DE MARRONS DE L'ARDÈCHE
VANILLÉE
La Crème de Marrons de l'Ardèche est une
recette créée par Clément Faugier en 1885 à Privas
POIDS NET : 250g
WWW.CLEMENTFAUGIER.FR

Le petit livre

CRÈME DE MARRONS

CLÉMENT FAUGIER

RECETTES DE SANDRA MAHUT

PHOTOGRAPHIES DE RICHARD BOUTIN

MARABOUT

SOMMAIRE

LES KITS

GOÛTERS

RAMEQUINS ET PETITS POTS

FONDANT ET COULANT

GROS GÂTEAUX

MIGNARDISES ET BOUCHÉES

KIT CRÈMES & SAUCES

À réserver au réfrigérateur jusqu'au moment du service.

CHANTILLY À LA CRÈME DE MARRONS

POUR 20 CL DE CHANTILLY

60 g de sucre glace

1 sachet de Cremfix® (facultatif)

1 grosse cuillerée à soupe de crème de marrons Clément Faugier

20 cl de crème liquide bien froide

Détendre la crème de marrons en la fouettant à l'aide d'une fourchette. Fouetter la crème liquide bien froide avec le sucre glace. Lorsque la chantilly a pris, ajouter le sachet de Cremfix® et la crème de marrons. Continuer de battre jusqu'à ce que l'ensemble soit homogène, puis réserver au réfrigérateur.

GANACHE À LA CRÈME DE MARRONS

POUR 400 G DE GANACHE

200 g de chocolat noir

125 g de crème fleurette

4 cuillerées à soupe de crème de marrons Clément Faugier

Faire chauffer la crème dans une casserole. Hors du feu, ajouter le chocolat, coupé en petits morceaux, puis la crème de marrons. Mélanger jusqu'à ce que l'ensemble soit parfaitement homogène et laisser refroidir.

CRÈME ANGLAISE AU MARRON

POUR 20 CL DE CRÈME

20 cl de crème anglaise

1 grosse cuillerée à soupe de crème de marrons Clément Faugier

Délayer la crème de marrons dans la crème anglaise jusqu'à obtention d'un mélange homogène.

DEMANDEZ LES NOUVELLES RECETTES DE "MARONO" CONTRE 3 TIMBRES POSTE "SERVICE RAPIDE"
Clément Faugier
DEMANDEZ LES NOUVELLES RECETTES DE "MARONO" CONTRE 3 TIMBRES POSTE "SERVICE RAPIDE"
Clément Faugier

KIT TRUFFES

CHOCOLAT BLANC & MARRON

POUR UNE VINGTAINE DE TRUFFES

130 g de crème de marrons Clément Faugier
125 g de chocolat blanc
70 g de beurre
2 cuillerées à soupe de sucre glace

Faire fondre le beurre et le chocolat blanc au bain-marie. Ajouter la crème de marrons, mélanger et réserver pendant 2 heures au frais. Former des petites boules à l'aide d'une cuillère, les rouler dans le creux de la main, puis dans le sucre glace, et les réserver au moins 3 heures au frais.

CHOCOLAT NOIR & MARRON

POUR UNE TRENTAINE DE TRUFFES

300 g de crème de marrons Clément Faugier
200 g de chocolat noir
100 g de beurre
2 cuillerées à soupe de cacao amer

Casser le chocolat en morceaux et le faire fondre au bain-marie. Ajouter le beurre et le laisser fondre. Dès qu'il est incorporé au chocolat, ajouter la crème de marrons et mélanger. Laisser durcir pendant 2 heures au réfrigérateur. Former des petites boules régulières en les roulant dans le creux de la main. Les passer dans la poudre de cacao et les poser sur une plaque recouverte de papier sulfurisé. Mettre au frais pendant au moins 2 heures, et les sortir 30 minutes avant de les déguster.

MARRON & THÉ MATCHA

POUR UNE TRENTAINE DE TRUFFES

150 g de crème de marrons Clément Faugier
250 g de chocolat noir
125 g de beurre salé
15 g de thé vert matcha pour l'enrobage

Casser le chocolat en morceaux et le faire fondre au bain-marie. Ajouter le beurre et le laisser fondre. Dès qu'il est parfaitement incorporé, ajouter la crème de marrons et mélanger pour obtenir une pâte homogène. L'étaler sur 1 cm d'épaisseur sur une plaque ou un grand plat carré tapissé de film plastique alimentaire et la laisser durcir pendant 2 heures au réfrigérateur.
Une fois la ganache solidifiée, retirer le film, prélever des petites billes avec une cuillère à café et les rouler dans le creux de la main, puis dans la poudre de thé vert.

DEMANDEZ LES NOUVELLES RECETTES DE "MARONO" CONTRE 3 TIMBRES POSTE "SERVICE RAPIDE"

KIT BISCUITS

Pour un dessert ou un petit goûter en un temps record et sans aucun effort, il y a une solution miracle : le kit biscuits... c'est magique !

1 paquet de biscuit (petits-beurre, Oreo®, sablés, biscuits à la cuiller, macarons, etc.)

1 pot de crème de marrons Clément Faugier

1 pot de crème fraîche, ou 1 brique de crème anglaise, ou du fromage blanc...

SANDWICHS

Mélanger de la crème de marrons à la crème de votre choix, jusqu'à obtenir une consistance homogène. Déposer une belle cuillerée de mélange sur un biscuit, refermer avec un second, écraser légèrement et croquer !

MILLEFEUILLES

Mélanger de la crème de marrons à la crème de votre choix, jusqu'à obtenir une consistance homogène. En tartiner des biscuits et les empiler jusqu'à la hauteur souhaitée. Déguster ainsi, ou bien juxtaposer plusieurs millefeuilles, jusqu'à obtenir un gros gâteau à étages ! Dans ce cas, laisser reposer 2 heures au réfrigérateur.

PETITS BOLS

Écraser les biscuits. Mélanger de la crème de marrons à la crème de votre choix, jusqu'à obtenir une consistance homogène. Dans un bol, disposer des biscuits écrasés, recouvrir du mélange, puis parsemer à nouveau de miettes de biscuits. Ou bien sans mélanger les crèmes, superposer simplement crème de marrons, crème fraîche et biscuits écrasés, en belles cuillerées.

CAKE À LA CRÈME DE MARRONS

25 MIN DE PRÉPARATION - 40 MIN DE CUISSON

POUR 6 PERSONNES

2 œufs

150 g de sucre de canne

80 g de crème fraîche

150 g de farine

1/3 de sachet de levure

10 cl d'huile de noisette

150 g de marrons glacés

40 g de crème de marrons Clément Faugier

2 cuillerées à soupe de liqueur de châtaigne

GLAÇAGE AU FROMAGE FRAIS

135 g de fromage frais (type Carré Frais®)

40 g de beurre

40 g de sucre glace

1 cuillerée à café de jus de citron

DÉCORATION

3 beaux marrons glacés

1- Préchauffez le four à 180 °C (th. 6).

2- Émietter grossièrement les marrons glacés et les faire tremper dans la liqueur.

3- Battre les œufs et le sucre de canne jusqu'à ce que le mélange blanchisse. Ajouter la crème fraîche et la crème de marrons, bien mélanger et incorporer la farine, la levure et l'huile, tout en mélangeant. Égoutter les marrons et verser la liqueur dans la pâte. Fariner les marrons, les ajouter à la pâte et mélanger rapidement.

4- Verser le tout dans un moule à cake et faire cuire le cake pendant une quarantaine de minutes. Démouler et laisser refroidir sur une grille.

5- Battre le beurre jusqu'à blanchiment. Ajouter le fromage frais, puis le sucre glace tamisé et le jus de citron. Déposer le glaçage sur le cake bien refroidi et décorer des marrons glacés entiers.

MARBRÉ POIRE-MARRON

30 MIN DE PRÉPARATION - 45 MIN DE CUISSON

POUR 6 PERSONNES

200 g de beurre

4 œufs, blancs et jaunes séparés

200 g de sucre

4 g de sel

200 g de farine tamisée

2 sachets de sucre vanillé

15 g de cacao en poudre

30 g de crème de marrons Clément Faugier

2 poires mûres

Beurre pour le moule

1- Préchauffer le four à 180 °C (th. 6). Beurrer un moule à cake ou à manqué.

2- Faire fondre le beurre. Éplucher les poires et les couper en gros dés.

3- Fouetter les jaunes avec le sucre jusqu'à ce que le mélange blanchisse. incorporer la farine et le beurre fondu.

4- Monter les blancs en neige bien ferme avec le sel, puis incorporer les sachets de sucre vanillé en continuant de fouetter.

5- Mélanger les blancs en neige et la préparation précédente à l'aide d'une cuillère en bois. Répartir l'ensemble dans deux grands bols ; ajouter la crème de marrons et le cacao en poudre dans l'un et les dés de poire dans l'autre.

6- Verser les deux pâtes dans le moule, en alternant les couches. Enfourner et laisser cuire pendant 45 minutes.

FAR BRETON À LA CRÈME DE MARRONS

15 MIN DE PRÉPARATION - 1 H DE CUISSON

POUR 6 PERSONNES

250 g de farine tamisée

150 g de sucre

1 sachet de sucre vanillé

4 gros œufs

75 cl de lait

4 à 6 cuillerées à soupe de crème de marrons Clément Faugier

1 verre à liqueur de rhum

Quelques pruneaux dénoyautés

Beurre pour le moule

1- Préchauffer le four à 200 °C (th. 6-7).

2- Mélanger la farine et le sucre. Incorporer les œufs un par un, puis ajouter le sucre vanillé et, petit à petit, le lait. Ajouter le rhum et bien mélanger. Verser cette pâte dans un plat bien beurré, y placer les pruneaux et ajouter des touches de crème de marrons.

3- Enfourner et laisser cuire pendant 35 minutes. Placer alors une feuille de papier d'aluminium sur le far pour qu'il ne brûle pas, baisser la température du four à 160 °C (th. 5-6) et prolonger la cuisson d'environ 25 minutes.

CRÊPES ROULÉES CHANTILLY & PAMPLEMOUSSE

30 MIN DE PRÉPARATION - 20 MIN DE CUISSON - 15 MIN DE RÉFRIGÉRATION

POUR 4-6 PERSONNES

CRÊPES

250 g de farine

4 œufs

50 cl de lait

1 pincée de sel

50 g de beurre fondu

1 sachet de sucre vanillé

GARNITURE

2 pamplemousses roses

4 cuillerées à soupe de crème de marrons Clément Faugier

20 cl de crème liquide (ou de chantilly à la crème de marrons, voir page 4)

50 g de sucre glace

1 sachet de Cremfix®

1- Verser la crème liquide dans un saladier et la réserver au congélateur pendant 15 minutes.

2- Mélanger la farine et les œufs dans un saladier, puis incorporer progressivement le lait à l'aide d'un fouet. Ajouter le beurre fondu, le sucre vanillé et la pincée de sel, et mélanger bien au fouet pour qu'il n'y ait plus de grumeaux.

3- Faire cuire les crêpes dans une poêle bien chaude mais non fumante.

4- Sortir la crème liquide du congélateur et la fouetter en chantilly au batteur électrique, en ajoutant à mi-course le sucre glace et le Cremfix®.

5- Peler à vif les pamplemousses à l'aide d'un couteau-scie et prélever les quartiers un à un, en passant la lame du couteau entre la chair et les membranes.

6- Étaler la crème de marrons sur les crêpes avec une cuillère à soupe, puis étaler un peu de chantilly et rouler délicatement les crêpes sur elles-mêmes. Les couper, toujours avec délicatesse, en tronçons de 4 à 5 cm.

7- Poser un demi-quartier de pamplemousse sur chaque rouleau et fixer l'ensemble à l'aide d'une petite pique en bois. Servir aussitôt.

BRIOCHE PERDUE À LA CRÈME DE MARRONS

10 MIN DE PRÉPARATION - 5 MIN DE CUISSON

POUR 4 PERSONNES

8 tranches de brioche rassie

2 œufs

30 g de beurre

2 cuillerées à soupe de miel liquide

20 cl de lait entier

4 cuillerées à soupe de crème de marrons Clément Faugier

2 à 3 cuillerées à soupe de sucre glace

2 à 3 cuillerées à soupe de graines de sésame

1- Casser les œufs dans une assiette creuse et les battre en omelette avec le lait et le miel liquide.

2- Faire chauffer le beurre dans une poêle. Plonger les tranches de brioche une à une dans le mélange aux œufs et les faire dorer des deux côtés.

3- Tartiner quatre tranches de crème de marrons et les recouvrir des autres tranches, comme pour faire des sandwichs. Les saupoudrer de sucre glace et de graines de sésame, les couper en biais et servir aussitôt.

clément faugier
CRÈME
DEPUIS 1882
CHESTNUT SPREAD
PRODUCT OF FRANCE
POIDS NET : 78g e
NET WEIGHT : 2 3/4 oz
FABRICATION FRANÇAISE
30/04/2015
recycle
100% recycled

TARTELETTES BREBIS & CHÂTAIGNE

20 MIN DE PRÉPARATION - 30 À 35 MIN DE CUISSON

POUR 6 TARTELETTES

PÂTE

180 g de farine semi-complète

5 cuillerées à soupe de sucre de canne blond

4 cuillerées à soupe d'huile de pistache (ou de tournesol ou d'olive)

30 g de beurre demi-sel

Beurre et farine pour le moule

GARNITURE

6 cuillerées à soupe de crème de marrons Clément Faugier

200 g de fromage frais de brebis (brocciu, par exemple)

1 cuillerée à soupe de sucre de canne blond

1 œuf

1 pincée de vanille en poudre

1- Préchauffer le four à 180 °C (th. 6). Faire fondre le beurre dans une petite casserole ou au four à micro-ondes.
2- Pour la pâte, mélanger la farine et le sucre. Ajouter l'huile, le beurre et éventuellement un petit filet d'eau, puis malaxer du bout des doigts pour obtenir une boule de pâte.
3- Beurrer et fariner six moules à tartelette. Y étaler la pâte.
4- Mélanger le fromage frais avec le sucre, l'œuf battu et la vanille. Ajouter la crème de marrons et fouetter.
5- Répartir cette préparation sur les fonds de tartelette, enfourner et laisser cuire pendant 30 à 35 minutes.

Clément Faugier
CRÈME
DEPUIS 1882
CHESTNUT SPREAD

MUFFINS CŒUR DE CHÂTAIGNE

15 MIN DE PRÉPARATION - 20 MIN DE CUISSON

POUR 8 PETITS MUFFINS

200 g de farine de châtaigne

2 cuillerées à café de levure chimique

75 g de sucre en poudre blond (type vergeoise blonde)

1 cuillerée à café de sel fin

175 g de beurre salé fondu

15 cl de lait ou de crème liquide

2 œufs

8 cuillerées à café de crème de marrons Clément Faugier

Le zeste d'une orange bio

1- Préchauffer le four à 180 °C (th. 6-7).

2- Mélanger dans un grand bol la farine, la levure, le sucre et le sel. Battre en omelette les œufs avec le lait dans un autre bol, puis ajouter le beurre fondu. Mélanger avec un fouet les deux préparations.

3- Hacher très finement le zeste d'orange, puis l'incorporer à la pâte.

4- Répartir la pâte dans des moules ou des caissettes à muffin jusqu'à mi-hauteur, ajouter 1 cuillerée à café de crème de marrons au centre et la recouvrir de pâte jusqu'à atteindre les trois quarts de la hauteur des moules.

5- Enfourner et laisser cuire pendant environ 20 minutes. Les muffins doivent être dorés et fermes.

FABRICATION FRANCAISE
CRÈME
DE
MARRONS DE L'ARDÈCHE

PETITS POTS DE CRÈME AU MARRON

15 MIN DE PRÉPARATION - 15 À 20 MIN DE CUISSON - 1 H DE RÉFRIGÉRATION

POUR 6 À 8 POTS DE CRÈME

4 jaunes d'œuf
+ 1 œuf entier

45 cl de lait

80 g de sucre en poudre

5 cuillerées à café
de crème de marrons
Clément Faugier

1- Préchauffer le four à 150 °C (th. 5).

2- Battre l'œuf et les jaunes dans un grand bol. Ajouter le sucre et fouetter jusqu'à ce que le mélange mousse.

3- Faire chauffer le lait dans une casserole. Ajouter la crème de marrons, bien délayer, puis incorporer petit à petit le lait chaud en fouettant.

4- Répartir la préparation dans des petits pots et les déposer dans un grand plat allant au four. Verser deux verres d'eau dans le fond du plat, enfourner et laisser cuire 15 à 20 minutes.

5- À la sortie du four, laisser refroidir et réserver au réfrigérateur pendant au minimum 1 heure.

VERRINES TOUTES BLANCHES

10 MIN DE PRÉPARATION - 30 MIN DE RÉFRIGÉRATION

POUR 4 PERSONNES

1 grosse meringue + 12 petites

200 g de crème de marrons Clément Faugier

30 cl de crème fraîche très froide

150 g de fromage blanc ou de mascarpone

50 g de sucre glace

1 cuillerée à café d'huile de noisette

1 sachet de Cremfix®

Vermicelles de chocolat pour le décor

1- Émietter très grossièrement la grosse demanière à obtenir de gros morceaux.

2- Fouetter le fromage blanc et la crème de marrons ensemble pour les assouplir.

3- Fouetter la crème très froide en chantilly, en incorporant le sucre et le Cremfix® à mi-course. Incorporer alors la préparation à la crème de marrons, en mélangeant doucement.

4- Déposer une couche de crème fouettée au marron dans le fond de quatre verrines. Ajouter quelques gouttes d'huile de noisette et répartir les morceaux de meringue, puis recouvrir du reste de crème au marron. Réserver pendant 30 minutes au réfrigérateur.

5- Décorer de petites meringues et de vermicelles de chocolat juste avant de servir.

MOUSSE AU CHOCOLAT BLANC

15 MIN DE PRÉPARATION - 3 MIN DE CUISSON - 2 À 3 H DE RÉFRIGÉRATION

POUR 4-6 PERSONNES

200 g de chocolat blanc

4 œufs

20 cl de crème fleurette bien froide

150 g de crème de marrons Clément Faugier

Vermicelles de chocolat blanc ou billes de sucre

1- Casser le chocolat blanc en petits morceaux.

2- Faire chauffer la moitié de la crème liquide dans une casserole à feu très doux. Lorsqu'elle est chaude mais non bouillante, ajouter le chocolat blanc et le laisser fondre en mélangeant doucement. Retirer du feu et réserver.

3- Casser les œufs en séparant les jaunes des blancs.

4- Lorsque le mélange au chocolat blanc est refroidi, ajouter les jaunes d'œuf et la crème de marrons. Mélanger jusqu'à ce que la préparation soit lisse.

5- Monter les blancs d'œuf en neige bien ferme. Fouetter le reste de la crème liquide en chantilly. Mélanger intimement les blancs en neige à la préparation au chocolat blanc, puis ajouter la chantilly.

6- Répartir la mousse obtenue dans des petits bols ou des verres et réserver au réfrigérateur pendant 2 à 3 heures.

7- Décorer avec des vermicelles au chocolat blanc ou des billes de sucre juste avant de servir.

TIRAMISU À LA CRÈME DE MARRONS

20 MIN DE PRÉPARATION - 1 H DE RÉFRIGÉRATION

POUR 4 PERSONNES

12 biscuits à la cuiller

10 cl de café (ou d'expresso)

2 cuillerées à soupe de cacao amer en poudre

150 g de mascarpone

50 g de sucre glace

2 jaunes d'œuf

4 cuillerées à soupe de crème de marrons Clément Faugier

1 cuillerée à soupe de crème fraîche

1- Battre très énergiquement les jaunes d'œuf et le sucre. Lorsqu'ils sont devenus mousseux, incorporer le mascarpone.

2- Tremper les biscuits à la cuiller dans le café, les disposer au fond de coupes à dessert ou d'un grand plat et les recouvrir d'une fine couche de crème au mascarpone.

3- Mélanger la crème de marrons et la crème fraîche à l'aide d'une fourchette, pour la détendre. La répartir en une couche assez épaisse dans les coupes et recouvrir du reste de crème au mascarpone.

4- Saupoudrer de cacao amer et laisser refroidir pendant au moins 1 heure au réfrigérateur.

TRIFLES CHOCO-MARRON

10 MIN DE PRÉPARATION

POUR 4 PERSONNES

20 biscuits sablés type Granola®

250 g de crème de marrons Clément Faugier

2 grosses cuillerées à soupe de crème fraiche épaisse

20 cl de crème liquide entière (ou de chantilly à la crème de marrons, voir page 4)

50 g de sucre glace

GANACHE

250 ml de crème fleurette

200 g de chocolat noir

Sucre coloré ou vermicelles de chocolat pour le décor

1- Préparer la ganache : dans une casserole, porter doucement la crème à ébullition. Pendant ce temps, détailler le chocolat en fins copeaux à l'aide d'un couteau. Les déposer dans un bol, puis verser la crème chaude dessus. Mélanger sans arrêt au fouet ou à la fourchette afin d'obtenir une ganache bien lisse. Laisser refroidir.

2- Fouetter la crème liquide bien froide avec le sucre glace, jusqu'à obtenir une chantilly bien ferme.

3- Écraser grossièrement les biscuits.

4- Mélanger la crème de marrons et la crème fraiche épaisse.

5- Verser un peu de ganache au chocolat au fond de verres ou de coupes, puis disposer des biscuits émiettés par-dessus. Ajouter un peu de ganache, 2 cuillerées à soupe de crème de marrons et de nouveau de la sauce au chocolat. Terminer par une couche de chantilly.

6- Décorer de sucre coloré ou de vermicelles de chocolat.

FONDANT AUX CHÂTAIGNES DE SOISICK

15 MIN DE PRÉPARATION - 8 À 10 MIN DE CUISSON

POUR 4 PERSONNES

50 g de beurre

3 cuillerées à soupe + 4 cuillerées à café de crème de marrons Clément Faugier

3 œufs

50 g de farine

100 g de sucre en poudre

1 cuillerée à café de liqueur de châtaigne

Beurre et farine pour les ramequins

1- Préchauffer le four à 210 °C (th. 7).

2- Faire fondre le beurre et le mélanger avec les 3 cuillerées à soupe de crème de marrons.

3- Battre les œufs avec la farine et le sucre, puis ajouter la crème de marrons et mélanger à nouveau. Ajouter alors la liqueur de châtaigne et bien mélanger jusqu'à obtention d'une texture lisse et onctueuse.

4- Verser dans des ramequins beurrés et farinés, puis ajouter 1 cuillerée à café de crème de marrons au centre de chaque ramequin, enfourner et laisser cuire 8 à 10 minutes, selon la puissance du four, pour que les gâteaux soient coulants et fondants à l'intérieur, voire liquides…

MEGACOULANT CHOCO-MARRON

25 MIN DE PRÉPARATION - 5 À 7 MIN DE CUISSON - 30 MIN DE REPOS

POUR 4 PERSONNES

150 g de chocolat noir

150 g de beurre demi-sel fondu

120 g de sucre glace

3 œufs + 1 jaune

1 cuillerée à café de cannelle en poudre

100 g de farine tamisée

4 g de levure chimique

4 cuillerées à soupe rases de crème de marrons Clément Faugier

Sucre glace pour le décor

MATÉRIEL

4 petites boîtes de crème de marrons

1- Préchauffer le four à 180 °C (th. 6).

2- Couper le chocolat en morceaux et le faire fondre au bain-marie. Ajouter le beurre, mettre hors du feu et fouetter.

3- Dans un saladier, fouetter les œufs et le jaune avec le sucre glace. Ajouter le chocolat fondu et bien mélanger au fouet manuel, puis incorporer la farine tamisée, la cannelle et la levure.

4- Verser dans quatre petites boîtes de crème de marrons, préalablement vidées et lavées, et réserver 30 minutes au frais.

5- Sortir les boîtes du réfrigérateur, déposer 1 cuillerée à soupe de crème de marrons dans chaque boîte, puis enfourner aussitôt pour 5 à 7 minutes.

6- Dès la sortie du four, parsemer de sucre glace et servir immédiatement, bien chaud.

DE MARRONS DE L'AR
DEPUIS 1882
A consommer de préférence avant la date indiquée sur le couvercle
A conserver au frais après ouverture
La Crème de Marrons de l'Ardèche
recette créée par Clément Faugier
POIDS NET :500g

GLACE À LA CRÈME DE MARRONS

5 MIN DE PRÉPARATION - 4 H DE CONGÉLATION AU MINIMUM (OU 30 À 40 MIN EN SORBETIÈRE)

POUR 4 PERSONNES

400 g de crème liquide ou de lait concentré non sucré

60 g de lait concentré sucré

500 g de crème de marrons Clément Faugier

1- Mixer les trois ingrédients dans un blender.

2- Verser la préparation dans une sorbetière et faire turbiner pendant 30 à 40 minutes, ou bien verser dans un bac et faire prendre au congélateur pendant au minimum 4 heures.

3- Servir avec des crêpes dentelles.

MILK-SHAKE AU LAIT DE SOJA

3 MIN DE PRÉPARATION

POUR 4 PERSONNES

50 cl de lait de soja (ou de lait de riz, ou de lait d'amande)

250 g de crème de marrons Clément Faugier

4 cuillerées à soupe de glace à la crème de marrons ou à la vanille

1- Verser tous les ingrédients dans un blender et les mixer pendant 1 à 2 minutes.

2- Répartir aussitôt le milk-shake obtenu, avec la mousse, dans quatre verres hauts munis d'une paille.

CRÈME
DE L'ARDÈCHE
FAUGIER. PRIVAS

MONTS-BLANCS EXPRESS

25 MIN DE PRÉPARATION - 2 H 30 DE CUISSON - 1 H DE REPOS

POUR 6 PERSONNES

4 blancs d'œuf

250 g de sucre glace

80 g de beurre ramolli

400 g de crème de marrons Clément Faugier

300 g de pâte de marrons non sucrée

5 cl de rhum

40 cl de crème liquide entière (ou de chantilly à la crème de marrons, voir page 4)

50 g de sucre glace

1 sachet de Cremfix®

1- Préchauffer le four à 110 °C (th. 3-4).

2- Battre les blancs d'œuf avec le sucre en neige bien ferme. Mettre cet appareil à meringue dans une poche munie d'une douille à crans et confectionner des disques de 10 cm de diamètre sur une plaque recouverte de papier sulfurisé.

3- Enfourner les disques de meringue et les faire cuire pendant 2 h 30. À la fin de la cuisson, les sortir du four et les laisser refroidir sur une grille.

4- Fouetter la crème liquide bien froide avec le sucre glace. Lorsque la chantilly a pris, ajouter le sachet de Cremfix® et continuer de battre jusqu'à ce que l'ensemble soit homogène. Réserver au frais.

5- Mélanger le beurre ramolli avec la pâte de marrons et ajouter le rhum ainsi que la crème de marrons. Bien travailler cet appareil pour qu'il soit parfaitement lisse, puis le transférer dans une poche munie d'une douille crantée et en déposer une couche sur les meringues froides.

6- Terminer par un dôme de chantilly bien ferme et réserver au réfrigérateur pendant 1 heure avant de servir.

Clément Faugier
CRÈME
DEPUIS 1882
CHESTNUT SPREAD
PRODUCT OF FRANCE
POIDS NET : 78g
NET WEIGHT : 2 3/4 oz
FABRICATION FRANÇAISE

GÂTEAU NUAGE AU CHOCOLAT CORSÉ

30 MIN DE PRÉPARATION - 30 MIN DE CUISSON

POUR 4-6 PERSONNES

3 cuillerées à soupe bombées de crème de marrons Clément Faugier

150 g chocolat noir à 70 % de cacao

135 g de beurre

5 œufs, blancs et jaunes séparés

100 g de sucre en poudre

30 g de farine

20 g de cacao amer en poudre

Beurre et farine pour le moule

Cacao pour saupoudrer

1- Préchauffer le four à 170 °C (th. 5-6).

2- Beurrer et fariner un moule à savarin, à kouglof ou à manqué tout simple.

3- Faire fondre le chocolat au bain-marie avec le beurre. Mélanger et lisser l'appareil, puis, hors du feu, ajouter la crème de marrons. Bien mélanger pour que l'ensemble soit parfaitement homogène.

4- Mélanger la farine tamisée et le cacao en poudre. Ajouter alors le chocolat fondu et lisser.

5- Monter les blancs en neige, puis ajouter le sucre en poudre au bout de 3 minutes et continuer à battre pour obtenir des blancs meringués.

6- Incorporer les jaunes un à un, puis ajouter la préparation au chocolat et mélanger à nouveau.

7- Verser la pâte dans le moule et enfourner pour 30 minutes.

8- Lorsque le gâteau est cuit, attendre qu'il refroidisse complètement avant de le démouler et de le saupoudrer de cacao amer.

CHARLOTTE CRÉMEUSE AUX FRUITS ROUGES

30 MIN DE PRÉPARATION - 5 MIN DE CUISSON - 12 H DE REPOS

POUR 4-6 PERSONNES

3 cuillerées à soupe de crème de marrons Clément Faugier

20 cl de crème fleurette entière

2 cuillerées à soupe de sucre glace tamisé

25 à 30 biscuits à la cuiller

15 cl de sirop de framboise

1 cuillerée à soupe de kirsch

300 g de fruits rouges (mûres, framboises, groseilles, cerises)

1- Fouetter la crème liquide en chantilly ferme, en ajoutant le sucre glace à mi-course. Incorporer enfin la crème de marrons en continuant de battre, puis réserver au réfrigérateur pendant 30 minutes.
2- Pendant ce temps, chemiser un moule à charlotte de film transparent jusqu'en haut.
3- Préparer un sirop avec 30 cl d'eau froide, le sirop de framboise et le kirsch. Tremper les biscuits à la cuiller dans le sirop pendant 1 seconde et les disposer le long de la paroi du moule.
4- Couper les fraises en deux, égrapper les groseilles et dénoyauter les cerises. Disposer une couche de fruits au fond du moule, comme un lit. Les recouvrir de biscuits passés dans le sirop. Ajouter la chantilly à la crème de marrons, puis encore des fruits. Terminer par une couche de biscuits.
5- Filmer la charlotte, poser une assiette dessus et réserver au frais pendant une nuit. Le lendemain, démouler la charlotte avant de la servir.

PASTILLA RICOTTA-MARRON

20 MIN DE PRÉPARATION - 40 MIN DE CUISSON

POUR 6 PERSONNES

10 feuilles de brick

40 g de beurre fondu

200 g de crème de marrons Clément Faugier

200 g de pâte de châtaignes non sucrée

1 cuillerée à soupe de crème fraîche épaisse

1 œuf

100 g de ricotta ou de fromage blanc égoutté

4 cuillerées à soupe de sucre glace tamisé

1- Préchauffer le four à 170 °C (th. 5-6).

2- Mélanger la crème de marrons avec la pâte de châtaignes. Ajouter l'œuf, la crème et la ricotta, puis 2 cuillerées à soupe de sucre glace. Mélanger jusqu'à ce que la pâte soit parfaitement lisse.

3- Beurrer un moule à manqué, puis beurrer au pinceau les feuilles de brick.

4- Étaler une feuille de brick au centre du moule et disposer sept autres feuilles en pétales se chevauchant les uns les autres et débordant sur les côtés du moule. Verser la préparation à la crème de marrons au centre, puis rabattre les feuilles de brick par-dessus, l'une après l'autre. Badigeonner l'ensemble de beurre fondu au pinceau.

5- Poser une petite soucoupe sur le dessus de la pastilla pour maintenir les feuilles de brick, puis enfourner pour 30 minutes ; la pastilla doit être bien dorée. Enlever la soucoupe et prolonger la cuisson de 10 minutes.

6- Pendant ce temps, badigeonner de beurre fondu les deux dernières feuilles de brick, les découper en bandes de 2 cm de large et les chiffonner sur elles-mêmes, puis les enfourner et les laisser dorer pendant 5 à 10 minutes.

7- Lorsque le gâteau est bien doré, le sortir du four, déposer dessus la chiffonnade de brick et saupoudrer aussitôt de sucre glace. Servir tiède.

TARTE NOIX DE PÉCAN, MARRON & CARAMEL

45 MIN DE PRÉPARATION - 35 MIN DE CUISSON - 6 H DE RÉFRIGÉRATION

POUR 8 PERSONNES

250 g de pâte sablée

200 g de crème de marrons Clément Faugier

150 g de noix de pécan

300 g de sucre en poudre

10 cl de crème fleurette

80 g de beurre salé

1 cuillerée à soupe d'amandes effilées

Sucre glace pour le décor

1- Préchauffer le four à 180 °C (th. 6).

2- Étaler la pâte sablée dans un moule à tarte. La piquer à l'aide d'une fourchette, la recouvrir de papier sulfurisé et couvrir ce dernier de haricots secs, puis enfourner et laisser cuire 15 minutes. La pâte doit être légèrement dorée.

3- Dans une grande casserole à fond épais, faire fondre en remuant sans cesse 100 g de sucre en poudre avec 1 cuillerée à café d'eau jusqu'à ce qu'il se transforme en caramel clair. Ajouter de nouveau 100 g de sucre et poursuivre la cuisson de la même façon, puis ajouter le reste de sucre et faire cuire jusqu'à obtention d'un caramel clair.

4- Incorporer petit à petit la crème liquide au caramel, toujours sur le feu et en remuant avec la cuillère, et faire cuire jusqu'à ce que le mélange soit bien homogène. Mettre le caramel hors du feu, laisser tiédir et incorporer délicatement le beurre salé.

5- Étaler la crème de marrons sur le fond de tarte. Ajouter les noix de pécan concassées et verser dessus le caramel au beurre salé. Saupoudrer d'amandes effilées et d'un peu de sucre glace, puis réserver au réfrigérateur pendant au moins 6 heures, le temps que le caramel durcisse.

BÛCHE À LA CRÈME DE MARRONS

30 MIN DE PRÉPARATION - 10 MIN DE CUISSON - 5 H DE RÉFRIGÉRATION

POUR 8 PERSONNES

GÉNOISE

4 œufs

120 g de sucre

100 g de farine

20 g de chocolat en poudre

50 g de chocolat pâtisser

40 g d'amandes effilées

GARNITURE

250 g de crème de marrons Clément Faugier

250 g de mascarpone

2 meringues concassées assez finement

GLAÇAGE ET DÉCOR

150 g de chocolat noir

80 g de beurre

4 marrons glacés

Sucre glace

1- Préchauffer le four à 200 °C (th. 6-7).

2- Réaliser la génoise : couper le chocolat en petits morceaux et le faire fondre au bain-marie. Fouetter les œufs avec le sucre jusqu'à ce que la pâte double de volume. Ajouter petit à petit la farine et le chocolat en poudre, puis le chocolat fondu.

3- Verser cette pâte sur une plaque recouverte de papier sulfurisé et parsemée d'amandes effilées. Enfourner et laisser cuire pendant environ 10 minutes. À la sortie du four, recouvrir la génoise d'un torchon humide, l'enrouler sur elle-même avec le torchon et la laisser refroidir.

4- Fouetter le mascarpone avec le crème de marrons bien froide jusqu'à ce qu'elle soit parfaitement lisse.

5- Quand la génoise est bien froide, étaler la crème sur toute la surface, ajouter les morceaux de meringue et rouler la bûche sur elle-même. La réserver pendant 4 heures au réfrigérateur.

6- Préparer le glaçage : casser le chocolat noir en morceaux, le placer dans un bol au bain-marie et le laisser fondre en mélangeant au fouet ; ajouter le beurre, coupé en petits morceaux, et bien mélanger pour lisser le tout.

7- Étaler uniformément cette ganache sur la bûche et passer une fourchette dessus de façon à dessiner des rayures ondulantes. Remettre au réfrigérateur pour 1 heure.

8- Juste avant de servir, décorer des marrons glacés et de sucre glace.

PETITS BOUCHONS

5 MIN DE PRÉPARATION - 25 MIN DE CUISSON

POUR 16 BOUCHONS ENVIRON

380 g de crème de marrons Clément Faugier

2 gros œufs

80 g de beurre demi-sel fondu (surtout pas de margarine)

1- Préchauffer le four à 180 °C (th. 6).

2- Mélanger le beurre fondu avec la crème de marrons, puis ajouter un à un les œufs. Bien mélanger la préparation au fouet ou à la fourchette.

3- Remplir presque jusqu'en haut les alvéoles d'une plaque en silicone (les bouchons ne lèvent pas trop), enfourner et laisser cuire pendant environ 25 minutes.

4- À la fin de la cuisson, laisser légèrement refroidir avant de démouler.

CANNELÉS

15 MIN DE PRÉPARATION - 1 H DE CUISSON - 30 MIN DE REPOS

POUR 20 CANNELÉS ENVIRON

50 cl de lait

2 œufs + 2 jaunes

100 g de farine tamisée ou fluide

200 g de sucre en poudre

50 g de crème de marrons Clément Faugier

50 g de beurre demi-sel

1 cuillerée à soupe de rhum

1- Mettre le four à préchauffer à 270 °C (th. 9).

2- Porter le lait à ébullition avec le beurre.

3- Fouetter les œufs avec le sucre, puis ajouter la farine. Verser petit à petit le lait bouillant sur les œufs en fouettant vivement. Ajouter la crème de marrons ainsi que le rhum, et fouetter à nouveau.

4- Réserver au réfrigérateur pendant 30 minutes.

5- Répartir la pâte dans des moules à cannelé (il en existe en silicone, en cuivre ou en aluminium ; attention à beurrer très largement les moules métalliques).

6- Enfourner et laisser cuire pendant 15 minutes, puis baisser la température du four à 180 °C (th. 6) et prolonger la cuisson de 45 minutes.

MINIMADELEINES CŒUR DE CHÂTAIGNE

15 MIN DE PRÉPARATION - 6 À 8 MIN DE CUISSON - 30 MIN DE REPOS

POUR
24 MINIMADELEINES

150 g de farine tamisée bio

125 g de beurre ramolli

150 g de cassonade ou de sucre roux

2 gros œufs

2 cuillerées à soupe de lait

1 cuillerée à café de levure chimique

100 g de carottes râpées

2 cuillerées à soupe + 50 g de crème de marrons Clément Faugier

1 cuillerée à café d'extrait de vanille

1 cuillerée à café de cannelle en poudre

Sucre glace pour le décor

1- Préchauffer le four à 180 °C (th. 6).

2- Fouetter les œufs avec le sucre jusqu'à ce que l'ensemble blanchisse. Ajouter progressivement la farine tamisée et la levure chimique. Mélanger intimement, puis ajouter le beurre ramolli, le lait, les carottes râpées, la cannelle, l'extrait de vanille et les 2 cuillerées à soupe de crème de marrons.

3- Verser 1 cuillerée à café de pâte dans chacune des empreintes d'une plaque à minimadeleines. Ajouter une touche de crème de marrons au centre et réserver au réfrigérateur pendant 30 minutes au minimum.

4- Enfourner et laisser cuire pendant 6 à 8 minutes. À la fin de la cuisson, sortir les madeleines du four, les démouler et les saupoudrer de sucre glace. Servir aussitôt.

FINANCIERS

15 MIN DE PRÉPARATION - 20 MIN DE CUISSON

POUR 24 PETITS FINANCIERS

- 100 g de poudre d'amandes
- 300 g de sucre en poudre
- 175 g de beurre doux
- 100 g de farine tamisée
- 1 sachet de sucre vanillé
- 8 blancs d'œuf
- 6 cuillerées à soupe de crème de marrons Clément Faugier (200 g)

1- Préchauffer le four à 200 °C (th. 6-7).

2- Mélanger dans un saladier le sucre et la farine, puis la poudre d'amandes. Ajouter les blancs d'œuf un à un et bien mélanger.

3- Faire chauffer le beurre dans une casserole jusqu'à ce qu'il sente la noisette grillée. Le verser dans la préparation, ajouter la moitié de la crème de marrons et bien mélanger, jusqu'à ce que la pâte soit lisse.

4- La répartir dans les alvéoles carrées ou rectangulaires d'une plaque en silicone, puis ajouter une petite touche de crème de marron au centre de chaque gâteau.

5- Enfourner et laisser cuire pendant 20 minutes. Au terme de la cuisson, démouler et servir tiède, c'est meilleur !

CARRÉS DE CHEESE-CAKE AU MARRON

20 MIN DE PRÉPARATION - 45 MIN DE CUISSON - 30 MIN DE REPOS - 3 H 30 DE RÉFRIGÉRATION

POUR 4 PERSONNES

250 g de spéculos

100 g de beurre

500 g de ricotta, de brousse ou de St Môret®

2 œufs

120 g de crème fraîche épaisse

60 g de sucre en poudre

80 g de crème de marrons Clément Faugier

1 cuillerée à café de vanille liquide

1- Émietter les spéculos à l'aide d'un mixeur ou d'un rouleau à pâtisserie ; il faut obtenir des miettes assez fines mais pas de la poudre.

2- Faire fondre le beurre. Le verser sur les miettes de biscuit et mélanger pour obtenir une pâte granuleuse. Verser cette pâte dans le fond d'un moule à manqué recouvert d'une feuille de papier sulfurisé. Répartir l'ensemble de façon homogène et faire légèrement remonter les biscuits sur les bords, puis réserver au réfrigérateur pendant environ 30 minutes.

3- Préchauffer le four à 180 °C (th. 6).

4- Mélanger la ricotta avec les œufs légèrement battus, la crème fraîche épaisse, le sucre, la crème de marrons et la vanille liquide. Quand le mélange est bien homogène, le verser sur le fond de pâte.

5- Enfourner le cheese-cake et le laisser cuire 45 minutes, puis éteindre le four et laisser reposer le gâteau dedans pendant encore une trentaine de minutes.

6- Réserver le cheese-cake pendant au moins 3 heures au réfrigérateur avant de le couper en petits carrés et de le servir.

REMERCIEMENTS

Merci à Aris pour sa contribution.
Merci à Richard pour ses jolies photos.
Merci à Mister Bies pour sa sublime et énorme boîte de crème de marrons " king size ".

Avec la collaboration de CLÉMENT FAUGIER.

Relecture et mise en page : Chloé Chauveau

ISBN : 978-2-501-07316-5
40-7673-3/04
Achevé d'imprimer en juin 2011
sur les presses d'Impresia-Cayfosa
Dépôt légal : juin 2011

DEPUIS 1882
FABRICATION
FRANÇAISE
Clément Faugier
PRIVAS FRANCE
CRÈME
DE MARRONS DE L'ARDÈCHE
VANILLÉE
La Crème de Marrons de l'Ardèche est une
recette créée par Clément Faugier en 1885 à Privas
POIDS NET : 250g
WWW.CLEMENTFAUGIER.FR

clément
faugier.
PRIVAS FRANCE